クレヨン
臼井儀人
しんちゃん

Volume 4

臼井儀人

Volume 4

 ひまわり組 クレヨンしんちゃん

Panel 1

このように国会議員△川氏は疑惑を全面否定しています

懲りないわね国会のじじいどもは……ったく

ボリッ ボリッ ボリッ

Panel 2

まゆっぱ社から5億円受け取ったといううわさが出てますが

そのような事実はいっさいございません

Panel 3

おかえり〜

ただいまでしょ

マーくんちであそんできた

あらよかったわね

Panel 4

おやつ食べていいでしょ

うん いいわよ 冷蔵庫にプリンが…

Panel 5

おやつの二重食いはダメよ

そのようなじじつはいっさいございません

ちょっと待った!!! ひょっとして食べてきたんじゃないの?

Panel 6

ウソつきは政治家のはじまりです

じゃあ口のまわりについてるチョコレートはなんなの!!

よそのおうちで何かいただいたらちゃんとママに言わなきゃダメでしょ

ぎゅぎゅ〜

ほじほじ

4

秘書山午後からのスケジュールは？

2時半よりゴルフ練習
4時サウナ
夜は資金集めのパーティーです

2時より地元老人ホームの視察慰問

視察は2・3分でいいだろ

老人ホームにはマスコミ関係者を呼んでますので先生のイメージアップ作戦を

なるほどよっしゃよっしゃぶあはははは

アクション老人ホーム

どうもおばあちゃんお元気ですかあ？

議員の先生もっと老人がくらしやすい社会にして下さい

わかりましたよまかせて下さいぶはははは

おおっオラこの人知ってる!!
母ちゃんが「このオジさんはウソをつくのがうまい」ってほめてたよ

なんだこの子たちは……

近くのようちえんから慰問に来ているそうで

おーうそつき名人。

ひしょひしょ

いいかいみんなオジさんは今悪くウワサされてるけど

ほんとはまじめで国民のことを大事に思ってるんだよ

きんさんぎんさん

ちがうだよー

わはは

人の話を聞けーっ
国民どもワシを無視するなーっ

せ、先生マスコミが…

5

そ、そうだな

先生
このままでは
イメージ
ダウンです
少し
子供たちと
お話し
されては…

みんな
何が
好きかな？

両親です

グラタン

ミカ
ちゃん
人形

ハイ・グレ
ギャルと
かんごふさん

おじさんは
何が
好きなの？

当ててごらん

お札束

ピンポーン

「札束が
好き」の
発言は
本心ですか？

ジョーク
ジョーク
ぶはは

先生
そろそろ
ひきあげた
方が……

何を言わすか
ききさまーっ

先生
マスコミが
世間の
目が〜〜

わーい
当った
なんか
ちょうだい

この車
だれに
もらったの？

車は
自分で
買ったの
もらったのは
5億円
だけ…

わーっ
わーっ

イライラ

しばらくして

お金は
受け取ったん
ですか？

お金は
大好き…
じゃなくて
そ、そのような事は
いっさいありません

この
オッさん
弁解
ヘタに
なったわねえ

おど
おど

6

ひまわり組 クレヨンしんちゃん

群馬県 伊香保

アクション旅館

電話予約した野原です

お待ちしておりましたァ

へえええ

どうかなさいました？

お菓子食べすぎたうえ山道走って酔ったみたいで

ところで申しわけないんです…

おとなりの部屋団体さんで……多少にぎやかになってしまいますう

え─!?静かな所でのんびりできると思ったのに〜

女子大の団体さんで

ぜんぜんかまいませんよハハハ

わはは

あんたらなァ……

つかの間

キャピ キャピ

7

わーい
石のおふろー

ま現実は
こんなもんだ
こんなもんだ

にたぁー

浴 ←
混

何が
うれしいの
？

いけば
わかるよ

さっそく
温泉に
入るか

あとから
行くわー

つきあって
やるか

ごいっしょして
よろしいですか？

お!!
誰か
来た!!

ごいっしょして
よろしいですか？

なんてな…
でへへへ

ごいっしょして
よろしいですか？

ばーーん

どど
どうぞ…

だれに
らくがき
されたの？

なるべく
離れてよ

あーゆー一人に
そーゆーこと
言っちゃ
ダメでしょ

あーゆーひと
って
どーゆー
ひと？

す
すみません
ハハハハ〜

早い…

…て
言ってる
そばから

ちゃんと
落ちて
ないよ

たわしで
洗って
あげよっちゃ

気をつけろよ
さっきみたいに失礼なこと
言ったら命なくなるぞ

しんのすけ

早く
洗って
出てよ

パンツぐらい
はいてよ
ゆかたのスキ
間から
ブラブラ
見えてるわよ

す すみませーん

は
は
早い…

よし
ばた足で5m
泳げたぞ
わははは

タオル
わすれた

今風呂は
キケンだ
いれずみの
こわ〜い
オジさんが…

え?!

犬みたいに
手を
かきかき
するの

いたいた…

……

ううそ…

こう
こうかい?
わははは
たのしいな
こりゃ

じ…

は…

9

しんちゃんパワーは
今日も全開だ編

しんちゃんパワーは今日も全開だ編

その1

大浴場

さ今のうちに
ゆっくり
朝風呂
入ろっと♪

うーん
うーん
ごめんなさーい
部長〜

くおー

群馬県　伊香保

チォン
チォン
チォン

アクション
旅館

おう
女子大の
団体さん
朝から
にぎやかね

キャピ
キャピ

どや
どや

極楽
極楽

うえ〜い

こんばんわ
ございまーす

でれ〜

キャピ
キャピ

おはよう
ございます

おはよ
ございまーす

はよ
ございまーす

キャピ
キャピ

みなさん
どちらから？

埼玉からよ
オバさん

おまえに
聞いとらん

東京
からです

誰が
オバじゃ

おいくつ
なんですか？

みんな
20歳
ぐらいでしょ
いいわね
若くって…

30よ
来年

え―！
20代前半かと
思ったァ

若く
見えるよねぇ

まあ
ほんと？
うれしいわ

おせじだよ

いっぺん
お湯の中に
沈めたろか！！

おおちついて
オバさん…

おおちついて
オバさん…

ほふ～く
いいゆだった

きのうは
失礼
しました

いえこちらこそ
ぼうやに
犬かき教えて
いただいて
よ

今日も
教えて
下さい
コーチ

おーし
れんしゅうは
あまいぞ！！

「あまくないぞ」の
マチガイ

こら
こら

ほら！！
ウリウリ
するな

「グズグズ」の
マチガイ

10分だけ
お借り
します

はは…

13

この男見なかったかい？

し知りませんよ

さんぽ中

車がある!!ここにまちがいねえ

キーッ

この殺し屋さん…!?たいへん!!しんのすけが

中をしらみつぶしに捜せ!!

もっと肩の力をぬけ!!手首をカキカキしろ!!オシリをふりふりしろ!!

はいコーチ

ぱちゃぱちゃ

入りたいけど入れない客

撃つならオレを撃て!!

サラリーマンだってやるときゃやるぞ!!

ステキよあなた愛してるわ♡

どどど

しんのすけ

組長〜

サブ文太…

いたいた

ごめいわくおかけしやした

ありがとうございましたしんのすけコーチ

調子にのるな!!

もうオラの教えることはなにもない!!

姉さんは「もう怒ってないから帰ってこい」と言ってやした

え!?ほんと？

浮気が奥さんにバレて逃げてた組長

しんちゃんパワーは今日も全開だ編

その2

閑静な住宅街に再び帰ってきた!!

そう 私の名は 地獄のセールスレディ
売間久里代(27) 独身

BGM「ターミネーター サウンドトラック」
♪ダダ ダン ダダ ダン♪

ざっ

♪ダダ ダン ダダ ダン♪

あの子の親に幼児教育学習ブックとカセット9万8千円を、売って売って売りまくってやるわ!!

あいてえば怖にかきのたね

だがこのまま引き下がる私じゃない!!
この夏山にこもって特訓…
さらにパワーアップ!!

前回はあのジャガイモこぞうのおかげでおかまの誘拐魔にされひどい目にあった

そんな遊びやめろよ!!
おまえにはプライドがないのかーっ

ワンワン

カンタンだったわ……

さてまずあの子を捜さなくちゃ

この辺はけっこう子供が多いから捜すのが……

15

ふっ
なるほど
今は犬に
なりきってる
わけね
ならこっちも
なってやろうじゃ
ないの

ワン
ワン

おねえさんのこと
おぼえてる?

ワン
ワン
ワン

ぼうや
久しぶり〜

だいじょうぶ?
頭

ガルルルル
（おれが先に
やってたんだろうが）

ばうばう
ばばうばう
（ぼうやの家
どこ?）

へっへっへっ

それより
コレ見たことある?

おっ
いいないいな
なに それ?

カセットテープも
あるのよ
「たし算音頭」
かけてみようか

よいこの
さんすうブック

おかまの
おねいさん

だから
ちがうって

じゃ
おかまの
おにいさん

おかまから
はなれてよ

おちつけ
このペースに
のせられては
ダメよ

おお
おねいさんの
こと
思い出した

さて
おやつ
おやつ

ゲッ
ひとりに
しないで……

お気の毒は
人みたいよ
ひそ
ひそ

なにが
なんでも
2+2は
4〜〜

はは
それ
はどした

トトンガトン
はあくあ
世の中変われど
1+1は2〜〜

どお?
ほしく
なった?

16

17

しんちゃんパワーは今日も全開だ編

その3

さーて たまには 車のそうじでも すっか

チョン チョン

わわわわっ

だらららら

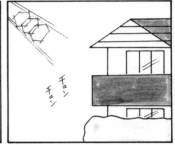

キュ キュ キュ

ジャーッ

カポ

ふろといっしょに すんな!!

でも おふろの中は 洗うよ

車内は 水洗い しなくて いいの!!

その方が 心配 だっつの

父ちゃん ひとりじゃ しんぱいだ てつだって やるか

さあ再び気をとりなおしてワックスがけだ

おおおけしょーみたい

なるほど車にしてみりゃ化粧みたいなもんだな

じゃ口紅もぬるなーっ

もうなにもするな車にさわるなっ

はっしんのすけは悪気があったわけじゃないいっしょうけんめいやってるのにオレはなんてことを…

ゴメン言いすぎたまたいっしょにやろう

「おねがいします」は？

おねがいします手伝って下さい……

そしてなんとかワックスがけも終わり

どうだしんのすけ‼まるで新車だろ‼

おおっ

だけどほら

父ちゃんのせなかもお車みたいにきれいにしてやる

ありがとよわははは

バスタオル置いとくね

20

しんちゃんパワーは今日も全開だ編

その4

きょうは
混んでるなァ

がや
がや

アクションデパート

その内の
ひとりに
ならないでね

きっと
まいごも
多いだろうなァ

おわ

ほっほ〜♪

おー

あら
ステキな柄ね

おもちゃ
大バーゲン

お

まいごは
君の方でしょ……

オラの母ちゃん
まいごなの
どこか知ってる?

ほくい
ちょっと

いらっしゃいませえ

あら
たいへん
しんちゃん
どこー?

あれ?
しんのすけ?

まいご
センター

ボクお名前は？

おなまえは人に聞く前に自分から言いましょーってよしながが言ってた

はいはい私の名前は越谷順子よ

越谷さん!!早くその子の名前を聞きなさい!!

えーとバスト82ウエストが…

スリーサイズは？

お名前は？

5才です!!

野原しんのすけです

好きなおパンツの柄はアクション仮面です!!

聞いてないって!!

すぐ放送してさっさと親にひきとらせましょ

ピンポンパンポーン

まいごのお知らせを致します

はっしんのすけ……

オラもしゃべりたくぃ

ここらよしなさい…

スケスケおパンツのみさえさん早くもどってきなさい

越谷さん!!早くマイクを取りもどすのよ

あのおバカ

この人が…

スケスケおパンツのみさえさんだ

3階のサービスカウンターのとなりです

あの〜まいごセンターはどこでしょ？

22

何を
やっとるの
かね!!

申し訳
ございません
店長

なんか悪いこと
したんだ
あのオバさん

君のせい
でしょうが

なんか
食べる物
出ないの？

アメでも
与えとき
なさい

合成着色料を
いっさい使って
ないヤツね

使って
ないヤツ
買ってきて
おやり

使って
あるヤツ→

ペロ
ペロ
ペロ

君のような
まいごのめんどう
見るのがお仕事よ

おしごと
なにしてんの？

あの人
上司？

そうよ

ふくん
えらいんだ

ウォッホン

いじわる上司？
つらくない？

も1回
アナウンスして
この子の親早く
呼びなさい!!

イラ
イラ
イラ

まいごの
お知らせを

まったく
親の顔が
見たいわ

お

母ちゃん
この人が
親の顔が
見たいって

ごめいわく
おかけ
しましたァ

あわわ

しんちゃんパワーは今日も全開だ編

その5

ある朝

ダメッたらダメ!!

くかー

たのむよォ〜一万円でいいから〜

今月分のおこずかいならあげたはずですけど

だからきのう飲んじゃってもうスッカラカンなのよ〜〜

なんで毎月キチンと自分のおこづかいの範囲内ですませられないの?

男にはつきあいってもんがあって予定どおりにゃいかないの!!

そーゆーだらしないところがしんのすけにも悪い影響与えるのよ!!

そうだそうだ

足くさいぞ

おまえのしつけがなってないからだ

ムネもないぞ

もういい!!会社行ってくる

ぎゅるるる

いってらっしゃい

あえええ

24

25

すみません
野原に
届け物
なんですが

あ
係長の…

野原係長—!!
係長の古女房…
いや奥さまが

どこで
お待ちを…
そんな言葉…

おだまり!!

古女房です

おう すまん
すまん
助かったく

もうすぐで
昼メシだ
いっしょに食おう
ちょっと
応接室で
待ってて

野原くん
こちらの
美人は
どなたかね？

妻です

いつも主人が
お世話に
なってますう

父ちゃん
このえらそうな人は
どなたかね？

あわわ

課長の
おじさんだ
ワハハハ

いつも
おせわ
してます

なって
ます!!

ああ〜
出世が〜

え!?
2万円も……

はい
ムダ使い
しないでね

よかったな
父ちゃん

パパ
いっしょうけんめい
お仕事してるね

うん
父ちゃん
かっこいい

応接室

しんちゃんパワーは今日も全開だ編

その**6**

あるむし暑い梅雨時の午後

あームシムシジメジメしてやな季節

おまけに生理でイライラと来たもんだ

こんな日は何もしないで昼寝するのが一番と

一番と

てんてんムシムシかたつむりーおまえの目玉はどこにあるうつの出せやり出せ目玉だせー

2番

すー

ジーメジメムシムシひるねババアおまえのおっぱいどこにある♪

ムネなしハラ出てケツでかい♪

ただいまでしょむし暑い梅雨時の午後おまけに生理中……そしてしんのすけ

おかえりなさい

29

しんちゃんパワーは今日も全開だ編

その7

先週より泊まっている秋田のおじいちゃん

しんちゃん

おじいちゃんとお風呂入るんでしょ？

ほーい

お湯かげん見てきて

おゆかげんよりアクション仮面見なくちゃ

ママのげんこつビームお見まいしようか

おゆかげん見てくる

どこに行けば見られるの？

お風呂場!!お風呂のお湯わいてるかどうか見てきて

おおなあんだ

ただ見るだけじゃダメよお湯かきまわして手でさわるのよ

ほほう

お風呂場にあるの使ってね

かきまぜ棒かきまぜ棒

31

おおまたのおひげ
白いのがある

白髪だ

お義父さん
お湯がげん
どうでしたか？

いい湯
だった

ほ〜〜ら
しらが
マンモス

あわわ

めくり

パオオオオッ

秋田帰ったら
ばあさんに
教えてやるか

ほ〜〜ら
しらが
マンモス〜ってな

やっぱ
この子の
おじいちゃん
だわ

この
おばか

バッチリ
見ちまった
じゃない…

しらが
マンモスか……
ハハ

ばあちゃんに
畑仕事
まかせっきりだから
帰らなくちゃ

帰っちゃ
ダメ!!

みさえさん
世話に
なったね
ありがと

ヒロシ
スっかり
やれよ

わかってるよ

お元気で

大宮駅

じゃ

ガタン

ガタン

夏休みに
遊びにおいで!!
途中まで
新幹線使って
来るといい

母ちゃん
おケチだから
乗れないよ

おだまり

しんちゃんパワーは今日も全開だ編

その8

関東地方に上陸した大型台風21号は依然強い雨をもたらし床上浸水などの被害も各地で出ています

ゆかうえすいしんて？

雨水がおうちの中に入ってきてプールみたいになっちゃうのよ

うっいつの間にこんな……

ザーッ

急いで水害対策準備しなきゃ

キャンキャン

わーいプールプール流れるプール

子供は気楽でいいよねえ家のローンとかぜんぜん考えなくていいし

すね毛濃いぞ

ちがって……

じゃそっちの柄に…

どっちの水着にする？

まずシロを助けなきゃ

もう助けたわよ

シローッ今行くぞ

うしっ

ジャキッ

おもちゃばこ

おしっ

もうすぐおうちの中に水が入ってくるかもしれないからタタミあげるの手伝って

ほい

だれにあげる？ネネちゃん？風間くん？

やっぱりいいわシロとお2階に行って

ジャマになりそ…

ああん？

母ちゃんはたたみを誰かにプレゼントするからいそがしいの

もしもしカメよ

ママは？

おしんのすけか

電話に出てー

トゥルルル

ほいほい

まいいやとにかく伝言してくれ「電車が不通で帰れないから今夜は会社に泊まる」って言っといてじゃあな

ああん？？

母ちゃん父ちゃんがね「まい〜やどカニ草ダンゴしてくれふつうの電車は買えないから本屋は歯医者に困るって」

34

もうすぐ
げんかんに
お水が
入ってくる

きっ

おわ

ザーッ

おわわっ

びちゃっ

とにかく
ドアしめて

高かった
私のヒールは
お2階へ

バタン

どぼぼぼぼ

あっ

一杯やりながら
見物したかったの

これ以上
水害ふやさないで
よね

キュッ
キュッ

まいっか
この程度の
水害なら…

くかー

ななによ
その目は…
私はね
おフロの水
止めわすれる
くらい
いそがし
かったんだからね

これ以上
水害ふやさない
でね

やがて雨はやみ浸水はまぬがれたが…

35

しんちゃんパワーは今日も全開だ編

その9

らっしゃい
らっしゃい

八百長

今夜は
何にしようかしら

山芋どお?
奥さん

精がついて
ダンナ今夜
燃えちゃうよん
がハハハハ

やだ
もオ
オホホホ

それ食べると
もえちゃうの?

子供は
燃えないから
安心しな

わはははは

そ
それは……

なにが
おかしいの?

そーゆー
のを
用があるって
ゆうんだよ

何か
用かい?

用は
ないけど
お買物に
来た

何か
つかれそうなのが
来ちゃったな……

ところで
何か用?

そのセリフは
おじさんが
言ってえな

言えば

36

37

38

しんちゃんパワーは今日も全開だ編

その10

わーい

おじいちゃんたら3つも送ってくれたのね

しんのすけ ひろし みさえさん オラの畑でとれたスイカといつかあそびに来な 秋田のじいちゃんより 元気かい? 写真を送りますじゃあな

ただいまー お父ちゃんら

いくら私がスイカ好きでもこうたくさんだと… たら

買物行く前に届いてればなぁ～ ああ…

スーパーで安売りしてたからつい…あっ…

よくばりみえっぱりおなかのお肉はブ～ヨブヨ

なんだコレ…

私の大好物 ス・イ・カ

♪おしりのホッペはデ～ブデブだけどオッパイス～カスカ

おじみなおパンツ

スーパーで安売りしてたから買ってきたぞ!! みさえ大好物だろ? どうだ

39

40

しんちゃんパワーは今日も全開だ編

その11

男子更衣室

市民プール

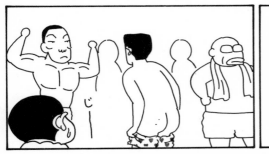

近ごろ家族で写真撮ってないしな

おカメラ

あ〜あ女の人のおきがえ室に行きたかった

男なら誰もがそう思ってるみんなつらいんだ

それよりさっさと着替えろ

これじゃ現像に出せねーだろうが!!

父ちゃん早くきがえてよ

オラ父ちゃんを写してやる

わっわっおバカどこ撮ってんだよ

パシャパシャパシャ

43

つれてきてよかった

こいつう

やっだ

みさえオレにもマット貸せよ

流れるプールはらくち〜ん

き気持ちはうれしいけど子供のめんどう見なくちゃいけないから

いっしょに泳ぎませんか？

やっぱり子供同志の方がいいのね

わーい

ちびっこプール行くか同じ年の子がいっぱいいるぞ

ほーい

ぷか〜

げっ

え！？トイレまで……がまんよ

ウンコ

やっぱり流れるプールで泳ごうね

どした？

う……

なんでもないですよオホホホチンチン見えてますよ

ちょっとそこ何やってんの？

ああ形がくずれた

しんちゃんのおパンツにもどしてトイレへ運ぶのよ！！

今まわりに知れたらパニックだぞ

44

しんちゃんパワーは 今日も全開だ編

その12

どこいくの？

パーマ屋さん

なにすんの？

パーマかけて美しいママをより美しくするのよ

そーゆーのをムダな抵抗ってゆうんでしょ

そして今あなたが言ったのは勇気ある発言とゆうのよ

バキ・ボキ・バキ

今日行く所は託児所があるから安心だわ

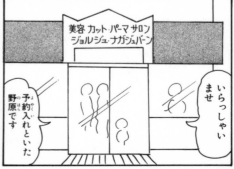

美容 カット・パーマ サロン
ジョルジュ・ナガジュバーン

いらっしゃいませ

予約入れといた野原です

くりくりボーズは託児室へおゆき！！

かるくパーマかけて下さいな

くね

45

さ
おいでー

だいじょうぶ
かしら…

ご安心を
ご安心を

彼女（かのじょ）は昨年（さくねん）の
保母（ほぼ）さん選手権（せんしゅけん）
全国大会（ぜんこくたいかい）で2位（い）のスゴ腕（うで）
幼児（ようじ）の扱（あつか）いは
お手（て）のものです

は・はぁ…

当店（とうてん）のスタッフは
全員（ぜんいん）
選（え）りすぐりの
プロ集団（しゅうだん）

シャンプーのリサ
髪（かみ）を痛（いた）めない
そのしなやかな
フィンガーテクは
業界（ぎょうかい）一

カットのジロー
もと植木（うえき）職人（しょくにん）の
独特（どくとく）の
ハサミさばきで
人気（にんき）上昇（じょうしょう）中（ちゅう）

そして私（わたし）
フランス帰（がえ）りの店長（てんちょう）
燃（も）えるパーマ液（えき）
ジョルジュ斉藤（さいとう）です

……

マニュアル
その一
おもちゃに
あきたら
お菓子（かし）で
だませ

あ～ぁ
あきちゃった～

お菓子（かし）よ

お゛っ

もたない……

もないの？

からっぽ

バリ
バリ
バリ
ボリ
ボリ
ボリ

ふふ
これで
15分（ふん）は……

ざ――っ

46

かいじゅうごっこ
しよう
おねえさんは
かいじゅうね
オラ
アクション仮面

いいわよ

マニュアルその2
子供がのってる時は
さからうな

OK!!

かいじゅうが
タマゴから
出てくるところから
やって

かいじゅう
たんじょ……
お……
し……
しまった

ガオー

からを
やぶって
バリッ

言ってません!!
言ってません!!

おまた
かゆいのは
オラだよ

わわかりました…

おまた

かゆいところ
ございますか?

ジャブ
ジャブ
ジャブ

ボリボリ

にらんでるのよ

お店の人
こっち
見てるよ
手
ふらないの
?

すたたたた

それ以来その店の
前を
早く通り過ぎるママであった

こらっ
しんのすけ

宇集院さま
アイスコーヒーで
ございま……

大切なお客さま

おま

びちゃ

どんっ

しんちゃんパワーは今日も全開だ編

その13

今夜は熱帯夜となるでしょう

え—!? これだから夏っていイヤ

こうなるとエアコンほしくなるなァ

今時つけてないのウチぐらいよ

そーいえばしんちゃん、もう寝た?

人間なるべく自然の方がいい!! 暑い時は汗をかき!! 寒い時こごえる

おかげで子供はけっこう丈夫だし

ホタルごっこ母ちゃんもやる?

そんな勇気ないわ

んなことやってないで早よねんかい

豆電球ちょうちん

どした?

キャッ

ぼー!

48

んもォ
ねぞう
悪いんだから

出たな
オニババ
ライダー
アクショーン

おちつけ!!
夢見てたんだから
しょうがない
だろが

おんどれっ
やるなら
やったろか

まいったが
フハハハ

キック

どっ

ギャ～ッ

なんだ
なんだ…

誰のせいだと
思ってんの!!

うるさいなァ
早くねてよ!!

それより
こわれ
ちゃったぞ
動かねえ

え-!?
せん風機が
唯一の救い
だったのに～

オレ明日
早出なんだよ
早くねよくよ

49

とにかく
心頭滅却
すれば
火もまた
涼しだ

どーゆー
意味?

よーするに
ここが
軽井沢の
別荘だと
思えば
いいの

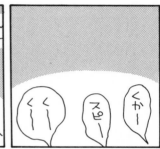

ささいなことで
イライラ
したりせず
おだやかに
寝るような

そうね
よけい
暑くなっちゃう
もんね

じゃ
なかよく
ねよー

この家は
やめとこ～

そっちょ
そっち
行ったわ!!

アクション
ビーム

チコクしたら
おまえのせいだぞ
蚊!!

飛んで
火に入る
夏の
虫だな

痛えな
おバカヤロー

ち
逃がしたか

おのれ～

イラ
イラ
イラ

しんちゃんは遊びの天才だ編

その1

海に来ている
しんのすけファミリー

ザザ〜〜ン
ザザ〜〜ン

調子に乗って
ゆうべあんなに
ビール飲むからよ

頭痛ぇ〜〜〜

うぅ〜〜〜

やぁ〜い
2日酔い
じじい〜〜〜

そうだそうだ
もっと言ってやれ
言ってやれ

おまえの女房
ムネなしおばば〜

そうだそうだ
ブラジャー
いらず〜〜〜
おまえの女房……

すか
すか
すか

パパは
ほっといて
ボートでも
借りよう

わーい
ボート

いらっしゃい
どれにします？

レンタル
ボート・マット
うきわ・水中メガネ

これ

ウチの娘は
レンタル
してません

おバカ

52

とにかく
こがなきゃ

少しは
進んでる？

はあ
はあ

なーに？

あのね……
しんちゃん

しんちゃん

ジャッポ
ジャッポ
ジャッポ
ジャッポ

はあ
はあ
はあ

ばっしゃ
ばっしゃ

だっぱーん

よろ…

おわっ

キャッ

あうぐ～～～
こわい～～～

おちついて!!
スイミングスクールで
習ったこと
思い出すのよ!!

訓練その1
水の中に
お顔を入れて
ママと
にらめっこ

してる
場合か!!

そんなに
まっくろに
なるまで
なにしてた？

楽しい
一日だったわ
オーッホホホ

見栄っぱり…

夕方なんとか浜にもどれた

どこ行ってたんだ？
あんたたち……

ハラへった

はあ
はあ

延滞金
7千円ね

しんちゃんは
遊びの天才だ編

その2

キャー

つかまえた

はあ はあ

はあ はあ

待てよ

ミッチ～～～

アハハハ

ウフフ
フフ

ザザ～～～

ザザ～

はみ出てる
おまたの
おヒゲ
海草編

ゴギ。

ドキ
ドキ
ドキ
ドキ

ドキ

ドキ

あ

は 初キスの
チャンス……

ドキ ドキ
ドキ

せっかくの
ムードが……

あうう

リゾート地に
来てまで
おバカなこと
やってんじゃ
ないの!!

はみ出し
おしり毛

あ～

あぁ～

55

勝手に
ウロウロ
しないで!!

海は
キケンなんだから

キケンて?

あぶない事や
こわ〜い事よ

母ちゃんより
こわいことって
あるのかな

そりゃ　そうよ
特に海なんかは
油断すると……

お

こ〜ら
ママが
大事な
話してる時は
よそ見
しないの!!

海は
キケンだから
ゆだんするなよ
母ちゃん

はなせ
この
くそガニ

だおおっ

ほーい

しんのすけ
父ちゃんに
砂かけて
くれ

ほいせ
ほいせ
ほいしょ

ざっ

ざっ

しんちゃん
そこ
かけすぎ

……

?

ママは
けっこうよ

母ちゃんも
ねれば
おすなを
かけて
あげる

オッパイパイの
ところ
たくさん
かけて
あげるから

どーゆー
意味よ

しんちゃんは遊びの天才だ編

その3

○○町の
みなさん!!
私は△△党の
○川○男です

おやー
かわいいぼうやだね

○川○男を
よろしく

ふっ選挙の時だけ
ニコニコペコペコ
しちゃって

○川○男
よろしく
お願い
します!!

さあ買物
さあ買物
さあ買物

この人 母ちゃんが
いつも言ってた
ぜー金 ムダ使い
する人?

ささっ
次 行こ
次!!
ワハハハ

母ちゃんが
せんきょの時だけ
ペコペコしてるって
ほめてたよ

アクション
ストア

Ａ

さあ
買い物
買ったし
帰ろーか

実演販売

カバさん　かき氷器

口に氷を入れて
ハンドルガリガリ
すれば
オシリから
ほ〜くら

ガリ
ガリ

モコ
モコ

冬もちゃんと
食べるからあ
おおっ
そうだ
鍋物の
具にすれば？

なるか!!

あれ
買お!!
買お!!

かき氷なんて
どうせ夏しか
食べないんだから
買ってもムダです

当たってる……

そんなこと
ないのよ
オホホホ

すぐ
こわれちゃう
って
オラの
母ちゃん
ほめてたよ

あーっ
また

それに
こーゆー物は
すぐこわれちゃうん
だから

ほう
ほう

まいど
あり〜♪

シーッ
わかった
買うから
おだまり!!

母ちゃんが
ウンチでない時
カンチョーして
あげるからあ

ゴチャゴチャ
だっつの

シロのゆうこともきくしい
ちゃんと母ちゃんに
エサもあげるからあ〜

いい社員だ…

やだ課長
泣いてんの?

ありがとう
君って
ほんとに……

課長
コピー
できあがりました

おかしいな
アハハハ
悲しくも
ないのに
涙が止まらないや

気持ち
悪う〜

だ誰か
なんとかして

この
涙止めて〜

うわ〜
近よるな〜

君
ぶきみだから
クビだ!!

なんだコレーッ

おおきた
おきた
おきた

ペッペッ

人を
起こすのに
わさびなんか
使うな!!

じゃ次は
からしに
する

からしもコショー
ダメ!!

ねりわさび

61

しんのすけー
ごはんよー

びくっ

父ちゃんは？

パパは
もう
出かけた
わよ

早く
食べなさい

ほーい

おっと
牛乳牛乳
牛乳

ととと

どした？首
寝ちがえたの？

あっ
おまえの
正体は
アクション
仮面だな！！

わはははは
よく
見やぶったな
鬼ババライダー

のりやすい
体質

さっ

どうも
変ねえ…

そーでないのなら
食べる時は
お顔
まっすぐね!!

ほ・ほ…

まがってるぞ
へたくそ

しばらく
それで
すごし
なさい

言える
立場か!!

ナガミのうら

マジック黒

だましたな
鬼パパ
ライダー…

う…

なな
なんなの
その顔

しんちゃんは遊びの天才だ編

その5

しんちゃんスイミング行ってみる？

それなくに？食べ物屋さん？

なら行く

泳ぎ教えてくれるプールよ

フタバスイミングクラブ

ママといっしょ!!
水泳教室
幼児
5日間コース

午後の奥さま劇場 愛のとびうお

バタタタタ

ほうほう

ピ

♪ ♪♪

クロールってゆうのはこうバシャバシャと……

オラおよげるよ

あんなせこい犬かきじゃなくてクロールでバシバシかっこよく泳げるようになるのよ

くる～ろって

？

どしたの急に…

おおっオラ行く!!

ギラッ

フタバ スイミング クラブ

美人インストラクター多数!!

ま行く気がないんならいいんだけどサ

フタバ スイミング クラブ

フタバ
スイミングクラブ

入水前は
しっかり準備運動を!!
ハイ1・2・3・4!!

ぶん
ぶん
ぶん
ぶん
……………

ハイ
メイン・コーチ

準備運動
終わった?

あんなに
ハリキってたのに
どうした?

ほらしんのすけ
ピシッとなさい!!

くた〜

水に慣れるために
お子さんと手をつないで
歩きましょー!!

すみません
持病
なんです

な・な・な…

すみません

いち

に…

さん

ゴゴゴ…
紅茶

父ちゃん今ごろ
いっしょけんめ
おしごとしてるん
だろね

なにも
今思い出すこと
ないでしょ

"良心"
チクチク

"良心"
チクチク

けっこう
楽しいわ

ホホホ

キャ
キャ
ワイ
ワイ
キャ
キャ

65

はいせーの!!
ウンコじゃないのよ!!
勇気
出しなさい
どこから
出すの？
おしり？
目
あけられないよ〜〜〜
こわいよ〜〜〜

次は
水の中に
顔を入れて
ママと
にらめっこー!!!

ゴボボ
ゲバゲッポ
（どこと
にらめっこ
しとるんじゃ）

ちゃんと
にらめっこ
できてる
かなア

ゴバ
ゲバゲベ
（ほら
目あけて）

ぷはーっ
くいっ

ゴボボ
ベバ
（おいおいちょっと）
ゴ
ゴボ
ビー
くくるしく〜）

やだ
……

あしたも
行こうね

超厚手
胸パット入り

しんちゃんは遊びの天才だ編

その6

しんのすけー

なーにー？

あとかたづけー

ほい
ほい

ゴソ

したけりゃ
どうぞー

するか!!
あんたが
やるの!!

てき
のそー
くたー

ぱき

なめとんのか
にいちゃん…

くたー
のそー

もっと
テキパキ
やりなさい

そーいえば
もうすぐで
ようち園の
運動会だな

なのにこの子ったら
お菓子の食べすぎで
動きがにぶく
なっちゃって

母親似だ

よし
運動会に向けて
特訓だ!!

ガルルルル

公園

まず
かけっこで
一番に
なるための
スタートを
教える

しっかり
教えろよ

それが
教わる態度か

パパの
お手本を
見てろよ

よーい

どんっ

びゃんっ

ズリっ

どうだ!!
すばらしい
スタート
ダッシュだろ?

キャー
そっち行った
わよ

まて
まてー

キャンキャン

ステキよ
シビれたわ
あのダッシュ

→ カールルイスのマチガイ

よっ
パールライス

いいんだいいんだ
オレなんかウチへ帰って
ゴロ寝じじいになれば…

68

しんのすけとみさえで競争してみろ

え─!?私走るの?カンベンしてよ

オラと勝負するのがこわいのか!!

ようかい厚化粧

位置について

よーい

すぐムキになるタイプ

オホホどお?ママのこの駿足

びゃん

どんっ

だっ

いいんだいいんだ私なんかウチへ帰ってせんたくオバサンになれば…

ママにひっかかれた

走る姿が美しかったぞほれなおした

よっぞうの足!!

カモシカの足のマチガイ

待ってステファニーウフフフ

メス→

こら!!ピーマン食べなきゃ大きくならないぞ

じゃ母ちゃんのオッパイに食べさせればなんですってーっ

逃げ足は早いんだよな

……

結局たいして練習できなかったな

かけっこは何等でもいいのいっしょうけんめい走ることが大切なのよ

オラいっしょけんめ走る

69

しんちゃんは遊びの天才だ編

その7

たまには
お庭の
草むしりでも
するか

→すぶり

びゅっ
びゅっ
びゅっ
びゅっ

じゃ
宇宙から
帰ったら?

外から帰ったら
ただいまでしょ

よ
ない!!
じゃ

よ

ふつうの
おいしさで
いい～～

草むしりすれば
おやつがいちだんと
おいしくなるわよ

みさえ隊員
宇宙より
帰ってまいり
ましたあ!!

やっぱ
地球は
青かった

さあ
おやつ
おやつ

のりやすい
体質→

あんたは男なんだから手でむしりなさい

↑変な理由

ひとつしかないのよ

そういうお道具ほしい～

オラもそういうお道具ほしい～

ママが必死こいて刈った草植えなおしてどーすんじゃい!!

うっかりでしょ

いやあついガッカリ

お—

やや ぶちっ

む—

ぶちっ ぶちっ ったく…

はみ出てるおまたのおひげ

ん？なあに？いっぱい取れた

母ちゃん

どうだ!!ちゃんとやったぞワハハハ

よくやってくれたわね…アハハハ

以前植えといたとうもろこし 枝豆

そーいえばしんのすけのいるあたりは…

はっ

しんちゃんは
遊びの天才だ編

その**8**

世にも奇妙な
ほんとうにあった
怪奇物語

そんな
こわい
の見るんじゃ
ありません！
ひとりで
トイレに
行けなく
なっちゃうよ

おわーっ

キャーッ

ばあ

なんですってーっ

ハミガキして
寝ろ!!

ウギャー！

おわ

母ちゃんより
こわくないから
だいじょうぶ

それもそうね
私の方が
よっぽど恐ろし…

ゴゴゴ
シシシ

へええ〜
ちゃんと
みがく〜〜

ぐぐぐ
りりり

たまには
しないで
ねるか

ばあ〜

う…

トイレ

ねる前に
オシッコ〜〜〜

ねた後は
オネッショ〜

♪♪♪

ぶぶ
つつ

しんちゃ〜ん
あそぼー

おお
オッパイ
ピチピチ
ギャル

オシッコ
オシッコ

オシッコ
オシッコ

くー

2時間後……

ほ

なんだと—

は…

あええ

こら
オシッコ
してきな!!

おおなか
ブヨブヨ
おばん

74

しんちゃんは遊びの天才だ編

その9

おちゃわんにごはんっぷまだ残ってるけど…

あんたがきれいにお食べ!!

ほしけりゃどうぞ

ゲフー

今日のおかずは味付けがちょっと

ごちそうさまでしょ!!

食べ終わったらなんて言うんだっけ?

ふう

ちょいパク
ちょいパク

食後のフラダンスだっけ?

あとかたづけ

「ごちそうさま」の後に何かすることあるでしょ

ごちそうさまー

動かすのは手首だけでいいのよ

ガシゴシ
ゴシ
ガシ
ガシ

そーゆーもんじゃないの

残りは明日みがく

まだみがき残しがあるわよ

こらーっ親子の縁切るぞー

うまいんだなこれが!!

ゴックン
プハーッ

きたねー

じゃあとは何するかわかってるね?

えらい!!

みがいた

はい笛に合わせて右左!!

ピッピッ
ピッピッ

ガシ
ゴシ

虫歯になって痛い思いしたくないでしょ?だからよ〜くみがこうね

♪

みがき終わったらトイレ行って着がえて寝るのよ

ガシゴシ
ガシ

きっとごほうびのチョコビスケだ

ボリ
ボリ

「えらい」って言われたから……

78

しんちゃんは
遊びの天才だ編

その10

さて お夕飯の
したくしよーっと

この音…
この気配…

カサカサカサ

ぎくっ

そぉ〜

やはり……

あたしゃ
虫系統は
にが手だけど
この目で見た以上は…

やってやろうじゃないの!!

つぇぇーい!!

しるっ

ぎゃああ

でかく
なってるぅぅ

ガササ

オラだよ

がっしゃん

ガラガラ

ようちえんの工作のお時間でつくったの

もっとまともな物作りなさい

あーびっくりした

ごっこじゃなくて真剣勝負‼

ゴキブリさんとチャンバラごっこしてたの?

そうそうゴキブリ退治よ

勝つとなんかもらえるの?

国でそーゆー制度つくってくれたらいいわね

くす

ゴキブリ10匹退治するごとに税金一割安くなるとかさオホホホホ

つまんないこと言ってないでさっさと退治しろ

むかっ

あんたが誘導したくせに……

いない……しかしまだ遠くへは行ってないはず

オラにも武器ちょうだい

コレでゴキブリいそうな所にシューして

コックローチ

えーとゴキブリさんいそうなとこ……

ここだ

シューッ

コックローチ

おパンツの中があやしい

おんどりゃあ

シューッ

コックローチ

しんちゃんは 遊びの天才だ編

その11

しんちゃん 図書館に 行こう

お

それは ようかん

くり入ってるのが 好き

オラ

厚めに 切って 濃いお茶で ずず〜〜っ

じじくさい 5キ児

本屋さんは 本を売る所!! 図書館は 本を貸す所!!

ようかい あーいえば こーゆーオババ

それは 本屋さん でしょ

図書館て ゆうのは 本がいっぱい ある所で……

ケンカ 売っとるんかい わりゃあ

シャン シャン シャン

ギ〜〜〜〜ッ プッブップ

カタ カタカタ カタカタ カタ

ガラガン ガラ

したく できた

ばき

べき

じゃ したくして

とにかく 図書館内では ぜったい静かに してること!! わかった?

ほーい

パン パン

でも子供って飽きてくると
「アクションビ〜ムドカ〜ン」って大声出したがるからなぁ……

そうだ今のうちに言いたいことがあったら叫んでおきなさい

ほい

オラの母ちゃんはきのうからウンチ出てないぞ

クスクス

ほんとに言いたいこと言ってくれたわね

さて中ではぜったい静かにしてよ

ほい

ガー

自動ドアはいいの

シー

ピシャッ

ガー

あと走ったりしてはダメよ

へい

ふつうにしゃべるのもいいの

シー

おねがいします

3冊ですね

貸し出し

お静かに願います

すいません

ちっハズかしいなァもォ

ペコペコ

じゃゴロゴロしよ

ゴロゴロもダメーッ

ゴロゴロ

83

84

オラは幼稚園の風雲児だ3編

オラは幼稚園の
風雲児だヨ編

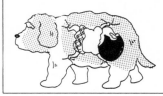

その1

どこ?

ほーい

公園

しんちゃーん

もっと
ふつうに
あそぼうよ
かくれんぼ
とか……

おしっ
みんなを
あつめよう

コウモリ
ごっこ

なに
してんの
……?

ここ

それじゃ
だれも
来ないよ

チンチンに
とまれ

かくれんぼ
するもの

86

87

あとはしんのすけだけだなよーし!!

風間くんだとすぐみつかっちゃう彼

するどいのよ

マーくんボーちゃんみっけ

ネネちゃんみっけ!!

あそこだ

ささっ

しんのすけが帰ってこないの!!

よみさえ

もしや誘拐…

!?

見つかるまで帰らない!!そうじゃないとボクのプライドが…

あたし帰る〜

もう夕方だよ帰ろーよ

あれ?今確かに…

塾もさぼって!!帰ったらおしおきです

トオルちゃんこんなおそくまで何やってんの!!

わ〜んだってぇ〜〜〜しんちゃんがプライドが〜〜〜

あんな子供誰も誘拐しねえよ…………

ぬっ

「ひひひ〜〜

オラは幼稚園の風雲児だ３編

その2

あれ？
時計がない

そーいや
ゆうべ
しんのすけが
いじってた
ような……

おい
今何時だ？
目ざまし
鳴った？

え？!

チュン
チュン
チチ…

げっ
こんな
時間!!

チコク
しちゃう!!

この中だ

もっこり

すぴー

うむ
すがすがしい
朝!!

なんか
腹立つなァ〜

かまってる
時間
ないわよ

朝一で
会議が
あるってえのに〜

ズボン
逆!!逆!!

ふわ〜ぁ

90

91

オラは幼稚園の風雲児だヨ編

その3

待て
待て

コロコロコロ

チャリーン

あ

夏休み　ある日の午後
アクションようちえん
まつざか先生23独身

缶ジュースでも飲むか

それが悲劇の始まりだった

腰いて〜

うう〜

す...

うっ...

しんのすけくん...

はっ

ベッドメイクのバイトもらくじゃねえや

あら
やだ

ホテル
ラブラブ

たしかに　そーだけど
それはちがうのよ
出てきたのはいっしょだけど
私は入ってなくて...

あせあせ

それであのオジさんとホテルから出てきた

ヤダァ　ホホホ
誤解しないでね
先生は今お金をひろいに行っただけなのよ
わかる？

うん
わかる

93

オラは幼稚園の風雲児だヨ編

その4

おかえりー

たたた

なん回いえば
わかるの!!
外から
帰ったら
ただいま
でしょ!!

じゃ
外国から
帰ったら?

オ～
タダイ～マ

ひとりで
何やってんの
……?

母ちゃん
おやつおやつ

冷蔵庫に
何か入ってるわよ
自分で出して

ママは今から
お昼寝ね

ふわ～あ

また
おひるねか…
だから
ハラたるんだぞ
みさえ

ぼそ
ぼそ

おくやく
すくみく

ほーい

ぎゅうううう

しんちゃんに
おやすみ
言うの
わすれちゃった

ぎくっ

真剣白刃取りー!!

おおっ
母ちゃん
スゴイ

ふっ
高校時代は
バスケット部
だったのよ

関係ない

ところで
何なの
これは…!!

スイカ

見ればわかります
「何をしてたの?」と
聞いてるの!!

で?なんで
わざわざ
ママの顔の横で
やるの?

スイカわり

年よりを
ひとりにしちゃ
かわいそう
だから

あーそうですかい
お気遣いありがと
ごぜえますだ

みさえ
ばばあ

ママとの
お約束
第43条
人がお昼寝
してる横で
スイカわり
しては
いけない!!

とにかく
キケンなので

どんどん
ふえるなァ

朝寝とか夜寝の時は
いいの?

第44条!!
朝寝も夜寝も
うたたねの時も
スイカわり
禁止!!

スイカわりは
大人数で
みんな起きてる時に
やろうね

ほ
ー
い

97

オラは幼稚園の風雲児だヨ編

アクション
ようちえん

さて明日から
わがようちえんは
プール開き

今日中に
そうじ
しなくちゃ

みーん
みーん
みーん

ほう!!
もうせみが
ないてる

ミーン
ミーン
ミーン

みーん
みーん
みーん

ときどき
むなしい

少しは
成長
してる
ようだね……

お
組長!!
せみごっこ
だよ

た
楽しいかい?

そそこで
なにを
してるのかね?

98

99

オラは幼稚園の風雲児だ3編

その6

はーい

お道具はちゃんと持ってきましたね?

今日は待ちに待った潮干狩りの日でーす

ダメだなァしんのすけは潮干狩りにはくま手って決まってるだろ

しんちゃん……それはまごの手と言って背中をかく物なの

おまたはかいちゃダメ?

自分のならいいですけどね……

きょうはたのしいしおひがり〜うらら〜

ボクを無視するなァああ

え!?ボクのくま手が見たいって?しかたない……ほら!!

ひとり言

高級ステンレス7徳くま手（テフロン加工）

スプーン

やすり

せんぬき

ワインせんぬき

耳かき

ドライバー

102

…ということなの

ほう 貝をさがすことか

ホッホッホッ
潮干狩りの意味も知らなかったとは低レベルのひまわり組らしいわね

まつざか……先生

さバラ組の秀才児たち こちらは優雅に貝をさがしましょ

貝より結婚相手さがせ

まつざか先生(24才)彼氏イナイ歴24年

グサッ

おれ この男爵ジャガイモ!!ジャガイモ!!東京湾に沈めたろか

ウンウン ウン

？

帰る頃

先生
見て—
いっぱい
とれたよ

ほんとだ
ガンバッたね

オラも
ほら

あ
わすれたの
……？

あみ

うわーん
少ししか
とれな
かったー

オラの
やるよ

やさしいね
しんちゃん…

あ
ありがと…

ドバーッ

今夜の
みそ汁
なんで具が
ないの？

あさりの
予定
だったん
だけど……

おいしいわ
このあさり

貝
好き
だったのに
……

食べないの？
全部
ネネちゃんに
あげた

オラは幼稚園の
風雲児だヨ編

その7

うっしんのすけだ

ねえやろうよシロじゃいくよ

犬とマジでジャンケンして負けるヤツと同じ組だなんて……

グ・リ・コ・のグ・ラ・タ・ン

うおーまけたァ

じゃんけんホイ

やめろよ人が見てるだろ

しわしわのちんちんふくろ

おそこでオラのことほめてるのは風間くん

やあしあわせボ〜イ

しわわせ？

105

おうおへやにあがっておやつたべてアクション仮面みたらすぐかえる　そーゆーのはすぐとは言わない

ほんとにすぐ帰るんだろな

ただいまママー

おかえりトオルちゃん

あがれよ

おまえが言うなよ

ちょっと変わったお友だちのようねオホホ

あらお友だち？いらっしゃい

あらママ？オジャマしまーす

ハデなおパンツはいてそーなお顔

まっ

きっときれいなママでいいなァねえホホホ

…って言うぞよく言われるのよねえホホホ

ニコ

じー

じー

ウチのママはふつうのパンツだ！！清純な白だ！！

ねえママそうだよね

ええそうよホホホ

そろそろアクション仮面はじまる人の話きけよー

→ほんとはこんなの

風間くんち広いげんかんだったドアもきれいだった

中まで入れてもらえなかったようね……

オラは幼稚園の風雲児だ3編

その8

アクションようちえん

みなさーん
今日は
身体測定を
しまーす

きれいな
おパンツ
はいてきた？

しんてい
そくていって
なあに？

背の高さとか
体の重さを
測るのよ

しんたい
そくてい

勝つとなにか
もらえるの？

勝負じゃ
ないのよ

ハイ
みんな
服ぬいでー

しんちゃん…
ハハ……

朝おうちで
ひまだったから
これで
かいてたの

マジックだ

そうそう
おまたの
おひげも…

かかんでいい！！

じゃ
先生に
かいて
あげる

間に合ってます

しかも濃い

こいつか……

ちゃんとはかってね

はい次の人

106.2cm

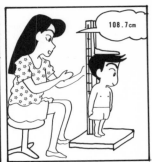

108.7cm

くにゃくにゃもダメ!!もっとピンッとして!!

くにゃくにゃ

ちょっと……ふらふらしないでよ測れないでしょ

ふらふら……

オラの父ちゃんはときどきここがピンとして……

はい次!!

105.9cm

言わんでいい!!

ピンッ

ずいぶんにぎやかだな

んな所で休んでるんじゃなーい!!

よ43.5キロ…!?

うそだーっボクがそんなにおデブにー!?文部省調べによると平成2年度5才児の平均は19.5キロなのに〜〜!!

50　10

40　20

30

ほらほら ちゃんと立って 待っててね

オラ つかれた

若いのに なに言ってんの

組長先生

園長です

なんだい?

たいへんだね 毎日こんな 小さい子たちの めんどう見て

お気使い ありがとと…

22.8kg

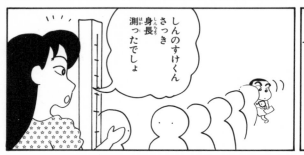

えーと

しんのすけくん さっき 身長 測ったでしょ

さっきより のびたかも しれないから もう1回はかる

ラーメンじゃ ないんだから そんなすぐに 伸びません!!

次は よしなが 先生の所よ

なんだ きょーいって オッパイパイの ことか

胸囲 57.5センチ

よしなが先生の オッパイパイ 母ちゃんと同じ 89せんち

さ さよなら オホホホ

……見栄っぱり

せんせーの オッパイパイ なんせんち?

は 89センチ…

ほう オラの母ちゃんと同じだ 母ちゃんも89センチって 言ってた

小声

へ・へえー

109

オラは幼稚園の風雲児だ3編

その9

オラはしんのすけではないオッパイパイの妖精である

おせんべムネのみさえよく聞け

なんですって

こらしんのすけ!!またママのブラジャーで遊んでるわね!!

ほっほ〜い

あこがれのムネの谷間ができる

やったった大きい!!

まはりくまくはりめっせっせ〜

ボンッ

おまえのねがいをひとつだけかなえてやる

え?ほんと?じゃ私のムネをCカップにして下さい

はっ地震……

なんだ夢かくそ……

はっ

グラグラグラ

おおゆれるゆれる

ユッサユッサ

110

しんのすけー!!
しんのすけ!!

ちょっとでかいわこりゃ…

なーに!?

のんきボーズねあんたってほら　地震よゆれてるでしょ

グラグラグラ

地震の時はまずフラダンス

ドンドコドンドコグラグラガタガタ

しとる場合か!!

ほら　地震の時はまずどうするんだっけ

グラグラ

おおっそうか

さてそのあとは…

ガスの元栓しめて火の始末OK!!

グラグラグラ

以前教えたでしょグラッときたら…

シートベルト?

火の始末!!

グラグラ

グラグラガタガタ

ママとのお約束条項第53条地震の時「マッチ売りの少女ごっこ」してはいけない!!

ママとしんちゃんのおやくそくノート

ほい…

マッチ売りの少女ごっこ?

シュボ

グラグラガタガタ

その夜

うちも いざという 時のために 防災準備 しとかなくちゃ

非常食なら リュックに つめて 備えてあるけど

カンパンとか...

カンパン?

ああ あれか!! おいしかったよ

あら そう よかった

よくない!! 食べちゃ ダメだろうが―

へぇぇぇぇ

今一度きちんと 準備しよう

まず 非常食を...

缶ビール さきいか ピーナツと...

チョコピー おせんべ プリンに アイスと

こらこら どこが 非常食や

では避難訓練を 「寝てる時に 地震が 来る」という 想定で 行ないま～す

それは 明日 ひとりで おやり!!

怪獣シリマルダシも 来ることにしよう

オレが 数分後 とつぜん 「地震だーっ」と さけぶから

そしたら テーブルの 下に 非難ね

ほ～ぃ

じゃひとまず おやすみ

なんか ドキドキ するね

うん

キャ キャ

数分後

グラグラグラ

ガタタ

みし...

わ～い Cカップよ はっさはっさ ムニャムニャ

オラは幼稚園の 風雲児だヨ編

なんのって…
きょうはようち園のおとまり保育の日でしょ

なにそれ？

お友だちみんなとようち園でごはん作ったりおふろ入ったりいっしょに寝たりする日

だからそれに必要なものを用意しなさいっての

おおっ

しんちゃん用意できた？

なんの？

なんの？

一泊ぶんの下着を用意しなさい!!

どっちがだ!!

んもォわがままだなァ

ダメ!!

必要ない!!

じゃおかしとおもちゃ

じゃ貯金通帳と印かんを……

きっとおねしょするから!!

自信もってゆーなよ……

あー心配だ

おパンツ3枚

一泊だけなのよ

なんで3枚も？

3枚

113

115

しんちゃん
おうちに
着いたわよ

おかまい
なく〜
ムニャムニャ

そうも
いかないの

アクション
ようち園でーす
ただ今帰りましたァ

ピンポーン
ピンポーン

お手数
わりますう

「かけます」でしょ
いいのよ
これも仕事だから…

親子だな…

す・すみません
お昼寝してたもんで…
アハハ

ハァ
ハァ

こるんで
腰うった

すぴ!

ど
た
どた
どた
どた
どた
ずででっ

オラは幼稚園の
風雲児だ3編

その12

ビビってんじゃ
ねえよ!!
相手が
何人だろうと
売られた
ケンカは
買うのさ!!

さあ!!
気合い
入れるよ!!

へ〜い

リーダー
むこうは
何人
来るの?

やつら
まだ
来てない
ようだ

ざっ

埼玉紅さそり隊!!

ふかづめ
竜子!!

魚の目
お銀!!

ふきでもの
マリー

み、見せもんじゃ
ねえよ

ねえ
決めの
ポーズ
もう
やめに
しない?

それと
チーム名も
変えない?
なんかダセーよ

よ
マンホール
マンホール
マンホール

それに
アンコールだ

ぱち
ぱち
ぱち

じ〜〜

あのさあ シロの おさんぽ中で いそがしーから 行ってもいい？

だから さっきから そーいってる だろうがーっ

悪かったよ〜 やめてよ〜

ブルルル〜 ガルルル

あいてててて

おぉっ そうだ

ちゃーそうだ

いくぞ シロー

キャン

ちっ よけいな パワー 使っちまったぜ

ほっほ〜ぃ

キャン

まて まて シロー

やつら まだかよ

キャン キャン

ほほほ〜ぃ

だーっもォ イライラする あたいらの まわりを まわるなーっ

もう そいつに かまうなよ〈

紅さそりの やつら もう 来てる ようだ

やけに にぎやかだね

アクション ビ〜〜ム!! びびびび〜

紅さそり ショオット!! ババババ

なんだ こいつら…

やる気 なくした… 帰ろ

121

Action Comics

クレヨンしんちゃん④

1992年12月12日 ● 第 1 刷発行 ………………………………………… (検印廃止)
1996年12月21日 ● 第24刷発行

著者© ……………………………………………… 臼井儀人

発行者 ……………………………………………… 井上功夫

発行所 ……………………………………… 株式会社双葉社
〒162 東京都新宿区東五軒町3番28号
電話03・5261・4818(営業)●03・5261・4851(編集)
振替 00180-6-117299

装 幀 ……………………………………… 関 善之✖星野ゆきお
(VOLARE INC.)

印刷所 ……………………………………… 慶昌堂印刷株式会社

落丁・乱丁の場合は本社にてお取りかえいたします。
定価はカバーに表示してあります。
ISBN4-575-93316-3 C9979 ©FUTABASHA Printed in Japan.